La princesse Pop Corn

Une histoire écrite par
Katia Canciani
et illustrée par
Benoît Laverdière

cheval
masqué

Catalogage avant publication de Bibliothèque et Archives nationales du Québec et Bibliothèque et Archives Canada

Canciani, Katia, 1971-

    La princesse Pop Corn

    (Cheval masqué. Au galop)
    Pour enfants de 6 à 10 ans.

    ISBN 978-2-89579-245-1

    I. Laverdière, B. (Benoît). II. Titre. III. Collection: Cheval masqué. Au galop.

PS8605.A57P74 2009   jC843'.6   C2008-942563-4
PS9605.A57P74 2009

Ce texte a été publié pour la première fois dans le magazine *J'aime lire* en novembre 2006.

Nous reconnaissons l'aide financière du gouvernement du Canada par l'entremise du Programme d'aide au développement de l'industrie de l'édition (PADIÉ) pour nos activités d'édition.

 Conseil des Arts   Canada Council
du Canada   for the Arts

Bayard Canada Livres inc. remercie le Conseil des Arts du Canada du soutien accordé à son programme d'édition dans le cadre du Programme des subventions globales aux éditeurs.

Cet ouvrage a été publié avec le soutien de la SODEC.
Gouvernement du Québec – Programme de crédit d'impôt pour l'édition de livres – Gestion SODEC.

Dépôt légal – 1er trimestre 2009
Bibliothèque nationale du Québec
Bibliothèque nationale du Canada

Direction : Andrée-Anne Gratton
Graphisme : Janou-Ève LeGuerrier
Révision : Sophie Sainte-Marie

© **Bayard Canada Livres inc.**, 2009
4475, rue Frontenac
Montréal (Québec)
Canada H2H 2S2
Téléphone : 514 844-2111 ou 1 866 844-2111
Télécopieur : 514 278-3030
Courriel : edition@bayard-inc.com
Site Internet : www.bayardlivres.ca

Imprimé au Canada

1

DOUBLE MALÉDICTION

Le royaume est en fête. Une princesse vient de naître! Le roi et la reine organisent un grand banquet. Tout le monde est invité.

Tout le monde, sauf la sorcière Mauve Ézumeur. Parce que celle-là a ses bons et ses mauvais jours. Et les mauvais jours... malheur!

Le roi et la reine annoncent en chœur :

— La princesse s'appellera Popeline.

Deux bonnes fées s'approchent. La troisième est en retard, comme toujours.

— Je te donne l'intelligence, dit la première fée en pointant sa baguette vers le poupon.

La deuxième ajoute :

— Moi, je te fais don de la beauté.

Les parents sont ravis. Leur fille aura un avenir magnifique!

La sorcière Mauve Ézumeur fait alors son apparition dans un affreux nuage de pollution. Elle aboie:

— On m'a oubliée?

Tout le monde fait «Oh!». La sorcière agite sa baguette. Elle ronronne:

— J'ai pourtant moi aussi un cadeau pour la princesse...

Le roi s'écrie:

— NON! NON! Ne...

Trop tard! Le sort est lancé:

— Tu ne pourras épouser que celui qui t'offrira un dragon utile et gentil, rugit Mauve Ézumeur avant de disparaître.

Malédiction! Tout le monde sait que les

dragons sont totalement inutiles, gaffeurs, colériques et mal élevés. C'est pour cela qu'on les garde loin, très loin du château ! Même le prince le plus vaillant ne se risquerait pas à en avoir un chez lui.

Pauvre Popeline… Elle restera célibataire toute sa vie à cause de cette malédiction.

Enfin, la troisième fée arrive en trombe*.
Quelle chance! Elle pourra annuler le sort…
Mais, sans même attendre que les poils de
son balai soient refroidis, elle déclare:

— Désolée d'être en retard. Vite, vite,
hum… Petite Popeline, je te donne le
sens… des affaires!

* Elle entre comme une tornade.

Les invités sont estomaqués*. Le sens des quoi ? Des affaires ? Ce n'était pas sur la liste de cadeaux de naissance que la reine a envoyée au Bureau des fées. Le sens des responsabilités, passe encore, mais… le sens des affaires ! ? C'est totalement indigne d'une riche princesse.

Double malédiction ! Popeline est presque condamnée à ne jamais pouvoir se marier… Et la seule qui aurait pu contrer le sort a parlé trop vite, comblant la princesse d'un don qui ne lui servira à rien.

▲

* Ils sont surpris et choqués.

Chapitre

2

JOYEUX ANNIVERSAIRE !

Les années passent. La princesse devient une intelligente et belle jeune fille. Certains ont tout de même remarqué qu'elle est un peu originale !

À 4 ans, elle fabrique des vêtements de poupée qu'elle vend pour gagner de l'argent de poche. Et, à 9 ans, elle recycle les vieilles armures de chevalier en décorations de jardin.

Le jour des 18 ans de Popeline, un prince sonne à la porte du château.

— Joyeux anniversaire, Popeline ! Acceptez, je vous prie, cet animal de compagnie. Il deviendra, j'en suis sûr, votre meilleur ami.

La princesse, étonnée, prend la laisse du dragon sans dire un mot. Elle ne sait trop que penser de ce cadeau encombrant.

La reine accourt aussitôt et s'exclame :

— Un prince qui t'offre un dragon de compagnie… Comme c'est inattendu !

Puis elle ajoute :

— Allons faire une promenade…

Popeline, son dragon et la reine partent donc marcher dans les rues du royaume. Au premier arrêt, c'est déjà la catastrophe : le dragon fait un caca si gros qu'il bloque la circulation ! En contournant le monticule*, la reine dit :

— C'est un petit, tout petit détail…

* Butte, petite montagne.

Popeline est terriblement embarrassée. Elle continue son chemin les yeux baissés. Au parc, son dragon enflamme les arbres en jappant contre un écureuil. Puis il inonde le parc en faisant pipi pour éteindre le feu. Popeline se rend à l'évidence : elle doit se débarrasser de lui.

La nuit tombée, elle téléphone au préposé aux dragons pour la première fois de sa vie. Il arrive en fée-taxi.

Quand il se présente à sa fenêtre, la princesse murmure :

— Débarrassez-moi de ce dragon, s'il vous plaît. Un animal de compagnie comme ça, c'est trop gênant.

Le garçon répond :

— Avec plaisir, princesse Popeline. Je savais bien que celui-là n'était pas prêt…

Au même moment, le roi s'écrie :

— Popeline, ta mère a besoin de toi en bas…

La princesse remercie vite le garçon et elle descend rejoindre sa mère.

Chapitre 3

ATTENTION, DRAGON !

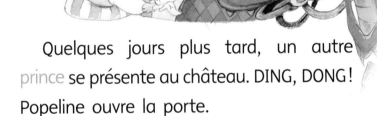

Quelques jours plus tard, un autre prince se présente au château. DING, DONG ! Popeline ouvre la porte.

— Princesse Popeline, permettez-moi de vous offrir ce dragon. Il vous sera très utile pour voyager. Il est rapide. Il ne se perd jamais et, vu sa taille, les autres conducteurs le laissent toujours passer.

Un dragon en cadeau, c'est bizarre. Deux, c'est doublement bizarre... Popeline se demande bien ce qu'ils ont tous à lui offrir des dragons.

Ce jour-là, Popeline sème la confusion partout dans la ville. Elle crie sans arrêt : « Attention, dragon ! » pour avertir les conducteurs et les piétons. C'est la folle bousculade sur son passage.

Le soir, Popeline confie ses mésaventures à ses parents:

— Mon dragon a défoncé trois toitures. Il a causé cinq accidents. Il a cassé la fenêtre du bureau du dentiste avec sa queue. Il a même insulté une fée qui avait pourtant priorité...

Sa mère lui répond:

— Ne t'en fais pas, ma chérie. C'est un petit, tout petit détail...

Au même moment, le dragon chauffeur rote si fort qu'il déclenche le système d'alarme du château.

Avant d'aller se coucher, Popeline fait venir le préposé aux dragons.

— Débarrassez-moi de ce dragon, je vous prie… En plus d'être gaffeur, il est mal élevé.

— Tout de suite, princesse Popeline. J'avais bien dit au prince que celui-là était impossible à maîtriser…

Popeline est intriguée. Elle demande :

— Que voulez-vous dire ?

Le garçon n'a pas le temps de répondre. Un chevalier arrive à ses côtés :

— On ne reste pas sous la fenêtre de la princesse. Ouste !

Chapitre 4

LE GRAND CHEF

Popeline se prépare à toute vitesse pour son cours de bonnes manières. Elle a mal dormi et s'est réveillée en retard. À la porte du château, elle réalise qu'elle s'est débarrassée la veille de son dragon chauffeur! Elle part à la course.

En tournant le coin du château, elle se cogne à un dragon endormi.

— Oh zut! encore un autre!

Du coup, le prince, couché sur le dragon, se réveille.

— Princesse Popeline, quel plaisir de vous rencontrer. Je vous ai apporté un dragon qui...

— Laissez-le dans la cour. Je m'en occu-perai après ma leçon, répond Popeline en reprenant sa course.

Au retour de la princesse, le dragon est toujours là. Il attend sa nouvelle proprié-taire avec impatience.

— Oh! je t'avais oublié, toi! remarque Popeline. Que sais-tu faire?

Le dragon se lève d'un bond. Il se dirige vers la cuisine.

— Bon, tu ne sembles pas si bête...

Popeline a faim. Elle se met à table. Sa mère lui dit :

— Il a l'air bien gentil, ton nouveau dragon.

Popeline soupire. Bientôt, l'animal dépose des plats bien chauds sur la table. Le roi s'étonne :

— Des nouilles chinoises ? Bonne idée !

Le lendemain soir, les assiettes débordent de mets mexicains très, très épicés… Le surlendemain, la famille royale a droit à du ragoût de pieuvre en sauce d'encre. Lorsque la reine recrache un tentacule, le dragon se fâche. Le jour suivant, la famille royale doit ingurgiter des pâtes aux champignons vénéneux*.

* Ils contiennent un poison.

Popeline n'en peut plus. Elle appelle de nouveau le préposé aux dragons. Dès qu'il se présente à son balcon, la princesse le supplie :

— Débarrassez-moi de ce dragon. Il va tous nous empoisonner...

Le préposé ne veut pas que les chevaliers l'entendent. Il chuchote :

— Ce prince n'a jamais voulu m'écouter, princesse Popeline…

— Je ne comprends pas.

— J'ai refusé de vendre ce dragon. Il avait déjà rendu deux licornes gravement malades. Mais hier soir, on me l'a volé.

— Voler un dragon ?

Le garçon avoue :

— Il y a quelques années, les gens me payaient pour les débarrasser des dragons.

Maintenant, ils se battent pour me les acheter ! C'est le monde à l'envers…

Il ajoute :

— Je dois y aller. Les chevaliers vont m'arrêter…

Chapitre 5

LA REINE AVOUE

Popeline est libérée de son dragon cuisinier. Pourtant, sa journée se gâte vite. Un prince l'attend déjà à l'entrée.

— Princesse, prenez ce dragon. Il est des plus commodes pour réchauffer l'eau. Avec lui, fini les bains glacés, les orteils gelés, les oreilles frigorifiées…

GRR!

Popeline sent qu'elle va se fâcher. Mais elle se rappelle à temps son cours de bonnes manières :

— Merci. Je verrai bien…

La princesse réfléchit. Sa vie a pris une tournure horrible depuis son anniversaire. Tous ces dragons-cadeaux, qu'elle doit accepter par politesse, lui gâchent la

vie. Les princes ne lui téléphonent plus. Ils ne viennent plus la voir, sauf pour lui offrir des dragons…

Popeline ne comprend vraiment pas pourquoi. Les dragons sont des bêtes tellement… bêtes!

Toute la journée, Popeline déprime. Elle songe même à déménager dans un royaume où il n'y aurait AUCUN dragon. En fait, elle aurait bien vendu ses dragons, mais tout le monde sait que vendre un cadeau, ça ne se fait pas!

De retour au château à la noirceur, Popeline se fait couler un bain pour se remonter le moral. Elle y met le pied… et elle se brûle les orteils!

Popeline explose au téléphone :

— Débarrassez-moi de ce dragon TOUT
DE SUITE.

Le préposé arrive. Découragée, Popeline
lui demande :

— C'est bon, la viande de dragon ?

— Désolé, princesse Popeline. La viande de dragon est vraiment toxique.

— Ah… dommage ! J'aurais aimé en faire des pâtés.

Le garçon n'ose pas lui dire qu'il y a déjà pensé… Il est trop gêné. Au clair de lune, Popeline est tellement jolie…

Les chevaliers accourent. Ils rouspètent :

— Il est interdit de rester sous cette fenêtre. Partez, sinon on vous jette au cachot*.

Le préposé emmène vite le dragon.

En venant souhaiter bonne nuit à Popeline, la reine constate que sa fille a renvoyé son dernier dragon.

Elle gémit :

— Chérie, c'était sûrement un petit, tout petit détail…

Popeline hurle :

— NON ! Ce n'était pas un détail.

Elle se jette sur son lit et sanglote :

— C'est TOUTE ma vie qui est fichue…

La reine n'a plus le choix : elle révèle à sa fille le sort que Mauve Ézumeur lui a jeté

* Prison toute petite, sombre, froide et pleine de rats.

à sa naissance. Popeline renifle… Voilà qui explique sa vie amoureuse déprimante !

Puis elle réalise qu'un dragon utile et gentil, ça n'existe pas. Elle recommence à pleurer :

— Je ne pourrai jamais me marier… C'est terrible !

La reine tente de réconforter sa fille :

— Malheureuse en amour, heureuse en affaires… C'est quand même mieux que rien…

6
BANG, LA PORTE!

Au petit matin, Popeline sort par la porte arrière. Elle veut éviter d'avoir à accepter un nouveau dragon. La princesse a pris une grande décision pendant la nuit. Elle va payer le préposé pour qu'il emmène les dragons à l'autre bout de la terre…

Pour aller plus vite, Popeline pique à travers les bois.

La princesse ne croise donc pas le garçon qui avance dans la prairie au même moment. Il tient dans une main un sac de grains de maïs. Dans l'autre main, il ne tient RIEN. Il pourrait tenir en laisse un dragon mais… il n'en a pas besoin! Car le dragon marche derrière lui bien sagement.

Popeline arrive enfin devant une minuscule chaumière. Sur la porte, on peut lire : « Cornouille, le seul dragonologue* du royaume ». Popeline cogne et recogne. Il n'y a personne. Quelle malchance!

Popeline change de plan : elle attendra plutôt de recevoir son prochain dragon.

* Mot inventé qui signifie spécialiste des dragons.

Le soir même, elle appellera Cornouille et elle en profitera pour lui faire son offre. Il partira avec les dragons... Et le tour sera joué!

De retour chez elle, Popeline trouve le préposé… et son dragon! Elle demande:

— Que faites-vous là?

Le garçon bafouille:

— J'ai un dra-dra-dra…

— Un dragon? Ah, bravo! Comme c'est original! explose Popeline.

Cornouille, très surpris, recule. Popeline continue d'une voix hautaine:

— Et en quoi ce dragon-LÀ pourrait-il m'être utile?

Le garçon répond à voix basse:

— Il… fait une délicieuse collation.

— Une collation? Eh bien, je n'ai pas faim! dit Popeline en lui claquant la porte au nez.

Attirés par le bruit, la reine et le roi sont venus à la porte. Ils restent éberlués*. Leur fille a été grossière !

Mais Popeline n'a pas du tout envie d'être sympathique et polie. Elle est super fâchée. Son plan vient de tomber à l'eau ! Si même le préposé se met à lui offrir des dragons, qui donc la débarrassera de ces grosses pestes ?

* Ils sont vraiment étonnés.

Popeline se calme vite. Elle ouvre la porte doucement. Le garçon est toujours là.

— Je sais, princesse, que les dragons vous exaspèrent*…

Popeline hoche la tête. Là, il a bien raison… Cornouille continue :

— Mais j'entraîne ce dragon depuis toujours. Je préfère vous l'offrir avant qu'il soit volé…

Popeline croit avoir mal compris :

— Vous entraînez des dragons ?

— Un passe-temps… Les dragons, ça me connaît ! Celui-là est unique. Je vous le jure.

* Ils l'agacent vraiment beaucoup.

CE PETIT « POP »

Cornouille place alors une poignée de maïs dans une poêle. Il dit à son dragon :

— Tu me chauffes ça, Dragobert ?

Le dragon s'exécute. Popeline se méfie… Avec les dragons, ça tourne toujours mal! Pourtant, cette fois, ça va: le feu est maîtrisé. Popeline est impressionnée… Mais elle l'est encore plus quand les grains se mettent à éclater: POP! POP! POP! POP!

Cornouille lui dit:

— Goûtez.

— Mais c'est excellent! Vraiment excellent! Ma foi, ce dragon est utile.

Dragobert indique à Cornouille qu'un maïs éclaté a atterri dans les cheveux de Popeline.

— Et gentil, ajoute Popeline en rougissant.

La princesse et le garçon se regardent. Cornouille avoue timidement:

— Ce petit «pop», ça me fait toujours penser à vous, princesse Pop. Euh, pardon… princesse Popeline.

Charmée, la princesse lui demande:

— Je peux vous appeler Corn?

Pop et Corn tombent amoureux fous.

À leur mariage, tout le monde est invité. Tout le monde… sauf la sorcière Mauve Ézumeur. Parce que celle-là a ses bons et ses mauvais jours…

Peu après,
Popeline et
Cornouille
démarrent
leur première vraie
grosse entreprise :
la compagnie Pop Corn.

Et qui engagent-ils pour le poste
de directrice aux paiements en retard ?
Nulle autre que la sorcière Mauve
Ézumeur ! La compagnie fait
fortune.

Quant aux autres dragons, ils deviennent les vedettes du nouveau parc d'attractions créé par les amoureux!

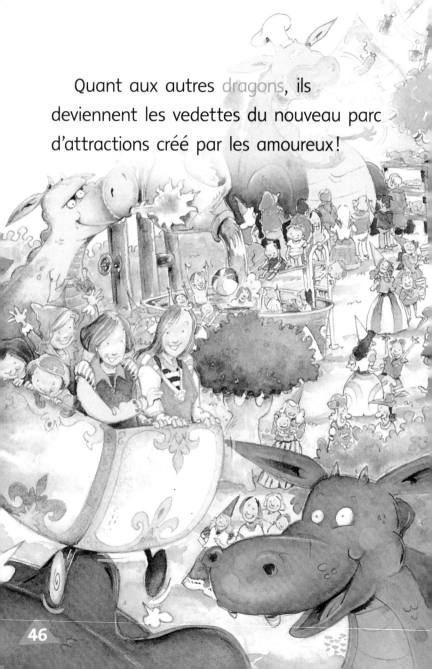

D'ailleurs, on peut souvent apercevoir Popeline et Cornouille dans les dragons-montagnes russes. C'est leur manège préféré à «Dragonland»… **FIN**

Voici les livres AU GALOP de la collection :

Lesquels as-tu lus ? ☑